朝我这边看

[日]宫本忠夫/文·图　彭懿　周龙梅/译

"妈妈，妈妈，朝我这边看……"

河北出版传媒集团 ■ 河北少年儿童出版社

"妈妈，你为什么总是朝前看呢？"
"那是因为你太小，
太嫩，看上去太好吃……

"大灰狼会盯上你，把你吃掉。

所以，妈妈要瞪大眼睛朝前看。要是大灰狼扑过来，

妈妈就咬死它。"

"妈妈，你为什么总是朝边上看呢？"

"那是因为你的牙齿还没长好，

咬不动硬的东西……

"妈妈要用大虎牙，
把漂过来的大树枝咬碎，
免得撞到你。"

"妈妈，你为什么总是朝上看呢？"

"那是因为你的身子光溜溜，

容易受凉……

"妈妈用叶子做雨伞，
就是乌云来了，下起冷冷的雨，
你也不会被淋湿，不会感冒了。"

"妈妈，你为什么总是朝远处看呢？"

"那是因为你总是饿得嗷嗷哭⋯⋯

"妈妈在等待
爸爸从远方的大海里，
捕回来好多好多好吃的鱼……
看，爸爸回来了。"

"妈妈，你为什么总是东看看、西看看呢？"
"那是因为你的脖子比妈妈的细，
容易受伤……

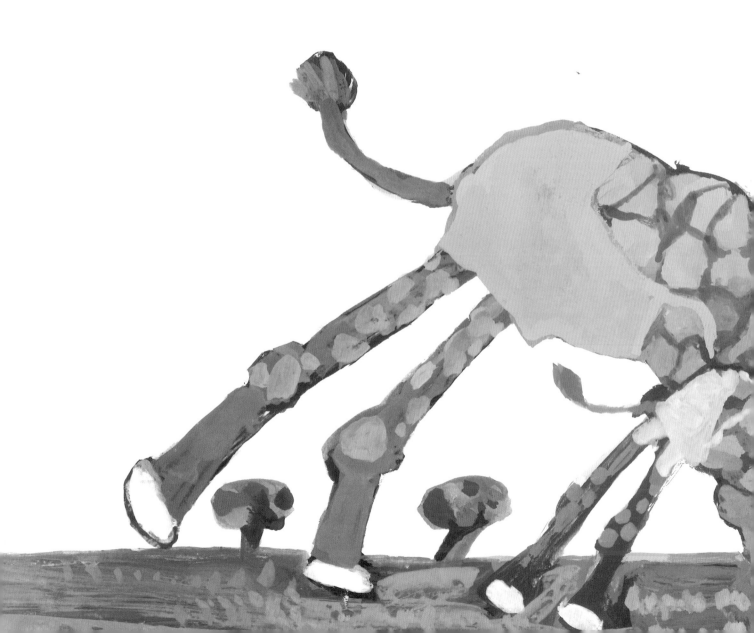

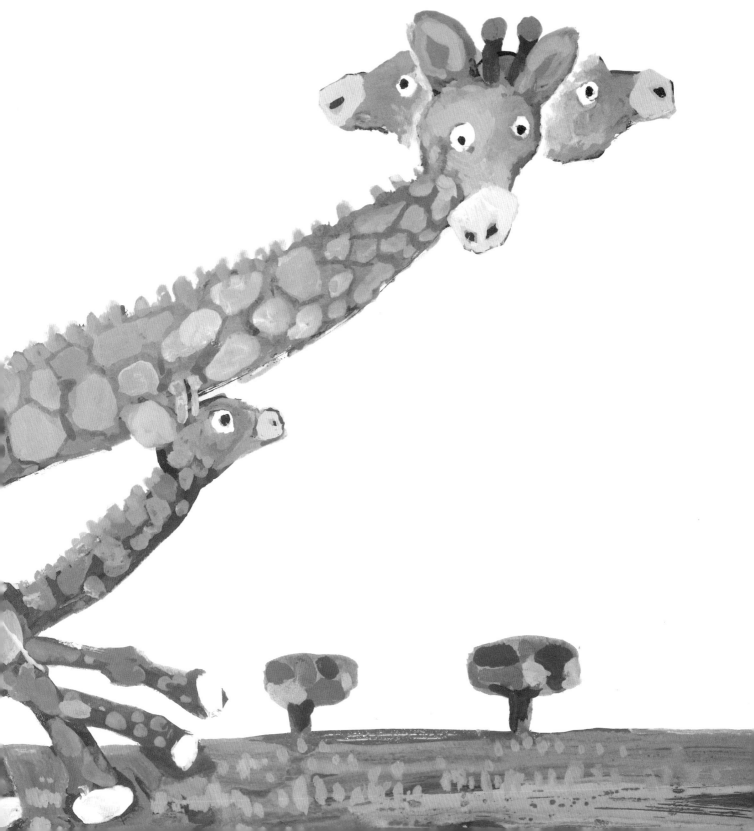

"妈妈怕你卡在树丛里。"

"呀，妈妈卡在树丛里了。

这回，让我来帮妈妈吧。"

"……"

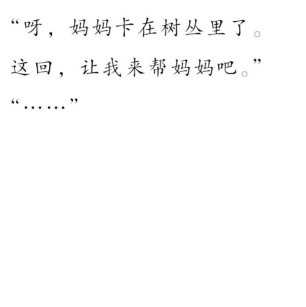

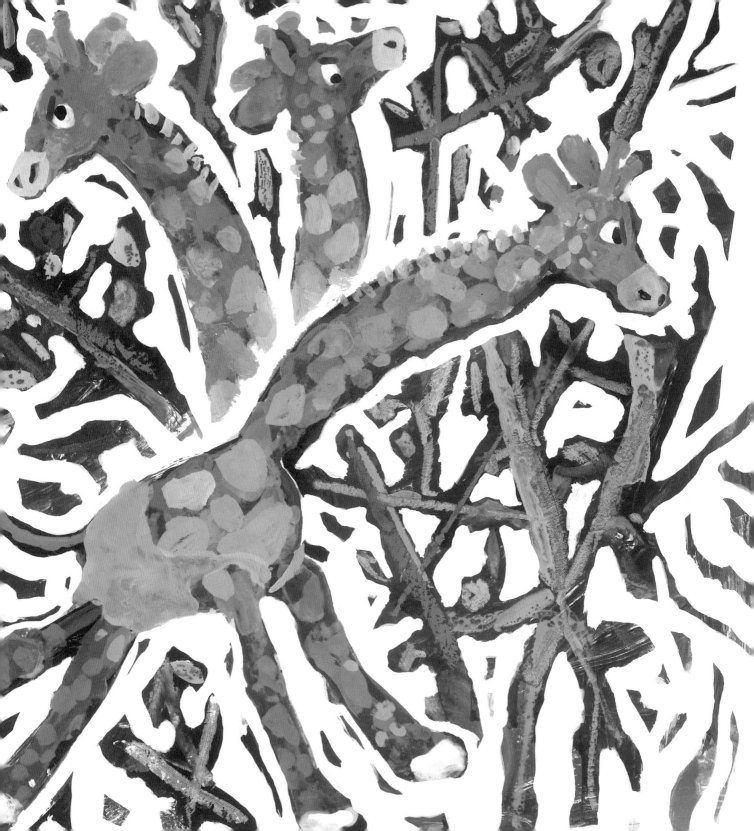

"妈妈，你为什么看着我呢？"
"因为今天看了太多东西，妈妈累坏了。
看着可爱的小宝贝，
妈妈就能闭上眼睛，慢慢地睡着了。"

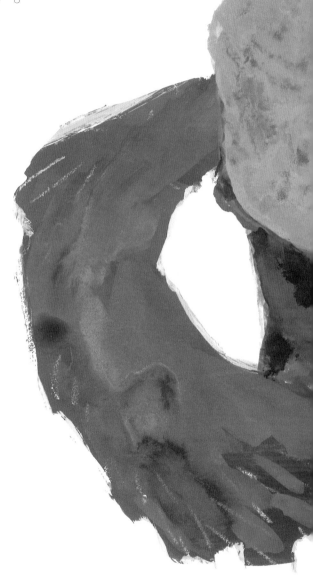

"晚安。"

朝我这边看看

我说让你朝我这边看，可是——
你却不朝我看。
我明明说给你点心的。
那玩具怎么样？
要我抱抱你吗？
要我抚摩你吗？
是讨厌我吗？
你在打哈欠。
既然无聊，为什么还待在那里呢？
吃得倒不少，
可整天睡大觉……
我家的小花猫。

宫本忠夫

宫本忠夫

　　1947 年出生于日本东京。曾
获得过日本绘本大奖、产经儿童
出版文化奖、红鸟插图奖。绘本
作品有《我这么一看……》《吃了
好吃的东西之后》《下雪天咚咚》
《下雪天的熊》《我不会屈服》等。